Haut les pattes !

ISBN 978-2-211-20895-6
Première édition dans la collection *lutin poche* : août 2012

Loi numéro 49 956 du 16 juillet 1949 sur les publications
destinées à la jeunesse : septembre 2010
Dépôt légal : août 2015
Imprimé en France par Pollina à Luçon - L73716

CATHARINA VALCKX

HAUT LES PATTES !

lutin poche de l'école des loisirs
11, rue de Sèvres, Paris 6e

Le père de Billy est un gangster de grande réputation.
Mais il s'inquiète pour son fils.
« Je me demande si tu feras un bon bandit, Billy.
Tu n'as pas assez mauvais caractère. »
« Tu crois ? » demande Billy.
« J'en ai peur, oui. Tu es trop gentil. Mais bon.
Nous allons faire un essai. On ne sait jamais. »

Le père de Billy fouille dans les tiroirs de la commode et en sort un vieux revolver, une ceinture, un masque et un chapeau.
« Tiens. Mets ça. »
Billy obéit.
« Très bien », dit son père. « Maintenant, viens dehors avec moi. Je vais te donner ta première leçon de bandit. Une leçon très importante. »

« La première chose que tu dois apprendre, pour devenir un bandit », explique le père de Billy, « c'est à pointer ton arme sur un animal et à dire *Haut les pattes !* d'une voix de gros dur. Comme moi, tu vois : **Haut les pattes !** »

« Oui, papa. »

« L'important, c'est que l'animal ait peur de toi. Tu vas d'abord t'exercer. Ce revolver n'est pas chargé. »

« Je vais m'exercer sur qui ? » demande Billy.

« Sur qui tu veux », dit son père. « Mais méfie-toi du renard. »

Billy se met en route, pas très rassuré.
Haut les pattes… hum. Pourvu que ça ne m'attire pas d'ennuis.

Je vais commencer par un tout petit animal, c'est plus prudent…
Ah tiens, je vois un ver de terre, là. Un ver de terre, ça devrait aller.

Billy s'approche du ver de terre et pointe son arme.
« Haut les pattes ! » dit-il le plus sérieusement possible.

« Je n'ai pas de pattes », répond le ver d'un air désolé.
« Oui, c'est vrai, ça », dit Billy. « Ce n'est pas grave.
De toute façon c'est juste un exercice. »

Billy continue son chemin.
Il aperçoit une souris.
Une fille, se dit-il, ça va être facile.

« Haut les pattes ! » dit Billy.

« Oh là ! » sursaute la souris. « T'énerve pas. »

« Haut les pattes ! » répète Billy.

« Oui, oui, j'ai entendu. Je lève quelles pattes ? Les pattes avant ou les pattes arrière ? »

« Euh… comme tu veux », dit Billy. « Du moment que tu lèves des pattes. »

« Ah bon ? Alors je lève une patte avant et une patte arrière », dit la souris.

« Voilà. Ça va comme ça ? »
« Très bien », dit Billy.

« Ou bien les deux pattes arrière, si tu préfères. »
Billy se retient de pouffer. Elle est rigolote, cette souris.

« Merci. C'est très bien », dit Billy, et il range son arme.
« C'est tout ? » demande la souris.
« Oui, c'est tout. C'est un exercice. Mon revolver n'est pas chargé. Maintenant je vais m'exercer sur un animal un peu plus grand. »

« Je t'accompagne », dit la souris. « Ça me plaît bien, ton exercice. Je m'appelle Josette. Et toi ? »
« Moi, c'est Billy. »
« Et moi, je m'appelle Jean-Claude », dit le ver de terre.

Billy voit un lapin venir dans leur direction.
C'est assez grand, un lapin, mais pas dangereux.
Il fera très bien l'affaire.

Billy se place au milieu du chemin.
« Haut les pattes ! »
Mais le lapin passe en coup de vent.
« Allons bon », dit Billy, déçu. « Il ne s'est même pas arrêté ! »
« Peut-être qu'il ne comprend pas le français », dit Josette.
« Mais si, il comprend le français », dit Jean-Claude,
« je le connais, c'est Dédé. »

Soudain Jean-Claude blêmit.
« Pas étonnant qu'il ne s'arrête pas,
regardez qui arrive ! »
« Mon Dieu, le renard ! » crie Josette.
«Vite, cachons-nous », dit Billy.

Mais c’est trop tard. Le renard les a vus.
« Ha ha ! Trois petits bien dodus cachés derrière un buisson !
Hé hé, qui est-ce qui va se régaler ? »
Le renard s’empare de Jean-Claude, qui se met à hurler
comme un putois.

C’est alors que Billy se redresse.
Il pointe son revolver vers le renard et, d’une voix terrible, froide comme la glace, il grince entre ses dents :

« **Haut les pattes !** »

Le renard se raidit. Il lève les pattes au ciel.
« C’était juste pour rire », balbutie-t-il, « ne me fais pas de mal… »
« Lâche Jean-Claude », ordonne Billy, toujours avec cette voix à faire trembler les arbres. « Et file, maintenant. Qu’on ne te revoie plus. »

Le renard prend ses jambes à son cou.
« C'est incroyable comme tu lui as fait peur ! » s'exclame Josette.
« Regarde-le courir ! »
« Billy, tu es mon héros », dit Jean-Claude, ému.
Dédé les rejoint à grands bonds.
Il n'en revient pas que ce petit hamster ait chassé le renard.

Quand Billy rentre à la maison, son père l'attend devant la porte.
« Alors, comment s'est passé cet exercice ? »
« Très bien ! » dit Billy, souriant. « Surtout que je me suis fait plein de nouveaux copains. »
Le père de Billy soupire.
« Mais tu devais faire peur, pas te faire des copains ! C'est bien ce que je craignais. Tu n'es pas doué pour être bandit. »

« Mais il a fait fuir le renard ! » dit Jean-Claude. « Il nous a sauvé la vie. »
Le père de Billy regarde son fils, stupéfait.
« Le renard ? Comment as-tu fait ? »
« Il a braqué son revolver même pas chargé et il a dit : **Haut les pattes !** » explique Josette.
« Ça alors. » Le père de Billy n'en croit pas ses oreilles.
« Et maintenant, on voudrait manger des noisettes au chocolat », dit Billy.

Le père de Billy rayonne de fierté.
« Ce vieux filou de renard, chassé par mon super fiston !
Billy, tu n'as pas assez mauvais caractère pour être un bandit, mais tu pourrais faire un très bon chasseur de renards. »
« Encore faudrait-il qu'il revienne, ce renard », dit Dédé.
« Moi, je crois qu'il ne reviendra jamais », dit Josette.
« Fa f'est fûr », dit Jean-Claude, la bouche pleine.
« Fa fra pas très fatigant, comme méfier. »